Sommaire

Un livre Dorling Kindersley
www.dk.com

Traduction française Lise-Éliane Pomier
Adaptation française Atelier Brigitte Arnaud

5757, RUE CYPIHOT
SAINT-LAURENT (QUÉBEC)
H4S 1R3

www.erpi.com/documentaire

Dépôt légal : 4ᵉ trimestre 2004
Bibliothèque nationale du Québec
Bibliothèque nationale du Canada

ISBN 2-7613-1585-5
K 15855

Imprimé en Chine
Édition vendue exclusivement
au Canada.

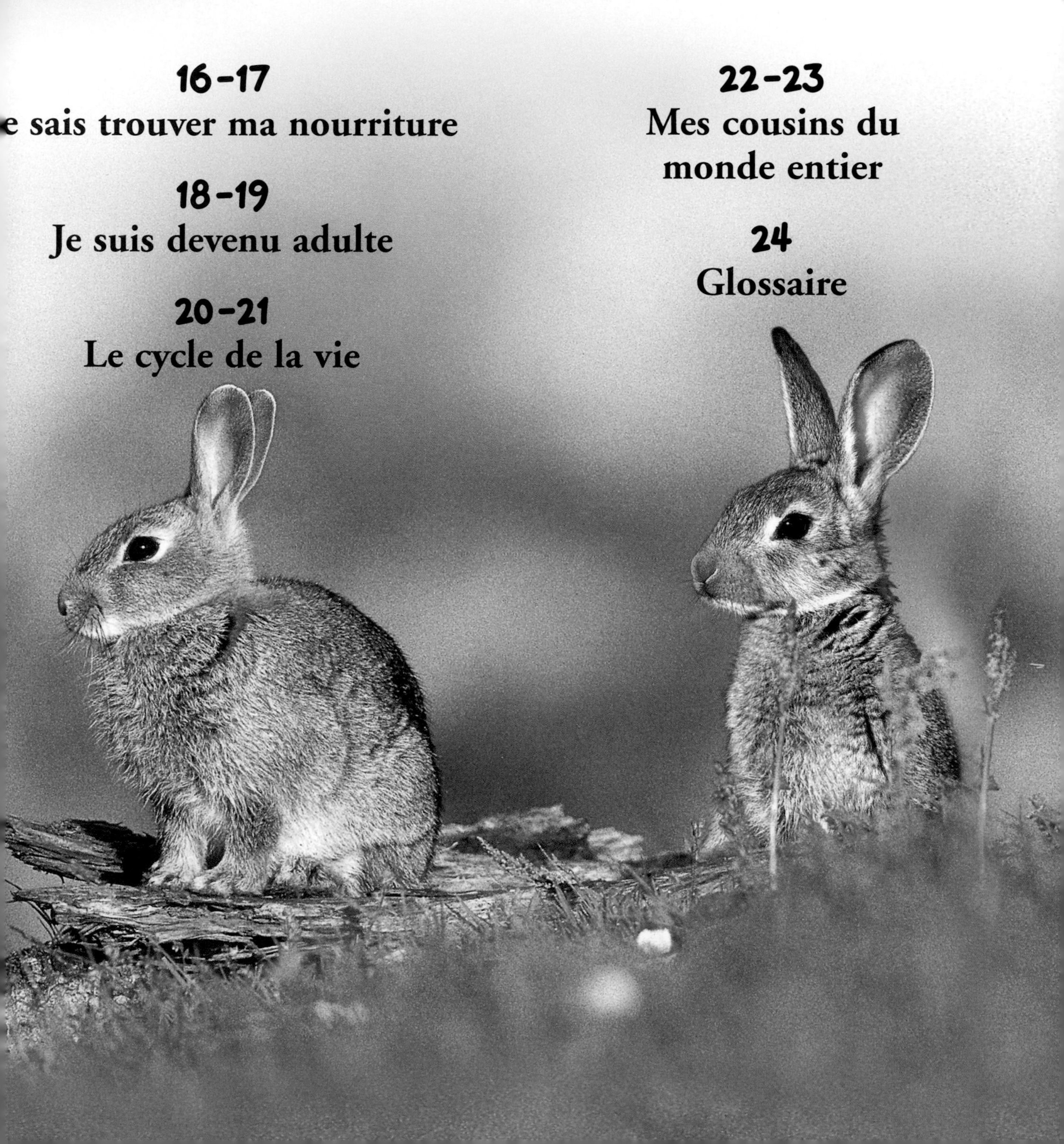

Je suis un lapin

J'ai de grandes oreilles et une petite queue touffue. Grâce à mes pattes arrière très longues, je peux sauter haut et courir vite. Mon pelage épais me tient bien chaud.

Mon odorat très développé me permet de sentir le danger.

Mes griffes sont bien utiles pour creuser.

Voici ma famille.

Les lapins sont couverts de plusieurs couches de poils.

Détaler comme un lapin !

Même sur ton vélo, tu ne vas pas aussi vite qu'un lapin. Cette agilité lui permet d'échapper à ses ennemis.

Debout, tout le monde, c'est l'heure de la promenade !

Papa et maman

Papa et maman habitent sous ce gros arbre. Ils vivent en communauté. L'ensemble des galeries creusées par une même famille s'appelle un terrier.

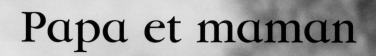

Voici papa

Voici maman

Bonjour !

Lorsque deux lapins se rencontrent, ils se reniflent et se frottent le nez en signe de reconnaissance.

ls entrent dans
e terrier par
e tunnel.

À retenir

· Les lapins ne restent en couple que jusqu'à la naissance des bébés.

· Creuser des tunnels est un travail d'équipe.

· On a découvert en Angleterre un terrier doté de 1 027 entrées. Il abritait plus de 400 lapins !

Voici ma maison

Peu après leur rencontre, mes parents ont creusé une galerie spéciale (la rabouillère) pour nous mettre au monde. Ils y ont installé un nid douillet.

Préparatifs
Dans les champs, les lapins ramassent des herbes sèches ou des plumes, et s'arrachent même des touffes de poils pour tapisser le nid.

Regarde le nid confortable que maman nous a prépar…

Je monte la garde !

Le terrier est un endroit très sûr, car les galeries sont trop **étroites** pour que les prédateurs puissent s'y glisser.

9

Dans le nid

À la naissance, les lapereaux ont la peau nue, et leurs yeux sont fermés. Serrés les uns contre les autres, ils restent bien au chaud dans leur petit nid souterrain.

Jour 1

Jour 2

Jour 3

Maintenant, j'ai deux semaines.

Un peu de patience…

Les bébés lapins sont des créatures fragiles, incapables de se tenir debout. Mais, bientôt, ils prennent des forces. Vers dix jours, ils ouvrent les yeux.

Dodo, l'enfant do…

Quand ils ne tètent pas, les bébés lapins passent leur temps à dormir. C'est très fatigant de grandir si vite !

À deux semaines, les lapereaux ont une fourrure épaisse. Ils dorment moins et apprennent à se tenir sur leurs pattes.

Je découvre le monde

Vers trois semaines, nous commençons à courir et à sauter à travers les galeries. Nous sommes impatients de découvrir le vaste monde !

Le lait de maman
Les lapines, comme tous les mammifères, allaitent leurs petits. Les lapereaux prennent un seul repas par jour.

À retenir

· ·

• Les lapins passent une grande partie de la journée dans leur terrier. Ils sortent à l'aube et au crépuscule, pour chercher leur nourriture.

• Les lapins ont l'ouïe très fine, et entendent des sons que les humains ne perçoivent pas.

• Le terrier le plus profond jamais découvert descendait à 9 mètres sous terre.

Rassasiés,
les bébés lapins
vont s'endormir.

J'ai déjà un mois !

Le moment est venu de faire notre première sortie. Avec mes frères et sœurs, je reste tout près de l'entrée, pour pouvoir faire **dem**i-tour très vite en cas de danger !

Nos longues oreilles captent tous les bruits.

Le sable chaud est tout doux et confortable sous nos pattes.

Je suis trop timide, je reste caché !

Attention !

Hors du terrier, les lapins restent très vigilants, car d'autres animaux, comme l'aigle, le renard ou la belette, sont prêts à les dévorer.

Aigle

Renard

Nos yeux s'habituent très vite à la lumière du jour.

À la moindre alerte, nous retournons vite à l'abri.

Je sais trouver ma nourriture

Maintenant, je suis assez grand pour me nourrir seul. Ce que je préfère, ce sont les grandes feuilles tendres des légumes verts ! Je trouve aussi dans les champs de nombreuses plantes délicieuses.

C'est l'heure du dîner : cet endroit me semble parfait !

Mes plats préférés

Les lapins se nourrissent de toutes sortes de plantes. Ils adorent les pissenlits, les fanes de carottes, le thym et le persil.

Pissenlit

Je ne mange pas les escargots !

Les lapins sont végétariens.
Dans un jardin potager,
ils se régalent avec les blettes
ou les salades.

Je suis devenu adulte

À deux mois, j'ai atteint ma taille adulte. Je passe mon temps à courir dans les champs, à la recherche de mes plantes préférées. Bientôt, je fonderai une famille à mon tour.

Les lapins reniflent les plantes pour savoir si elles sont bonnes à manger.

La toilette
Plusieurs fois par jour, les lapins lissent leur pelage et éliminent les parasites.

Les lapins savent bien
que ces boutons d'or
ne sont pas
comestibles.

En famille

Les lapins adultes
vivent en groupe.
Lorsque de nouveaux
petits lapins viennent
au monde, la famille
s'agrandit.

Le cycle de la vie continue…

Tu sais maintenant comment je suis devenu ce superbe lapin.

Au revoir ! Les copains m'attendent !

Mes cousins du monde entier

Celui-ci s'appelle bleu de Vienne… Tu comprends pourquoi !

Le lièvre d'Amérique, notre cousin germain, vit dans le désert. Ses longues oreilles lui servent de ventilateur !

Le lapin angora possède de longs poils frisés, et même un petit toupet au sommet des oreilles !

Le lièvre variable, qui vit au-dessus de 1 000 m, est aussi appelé lièvre des n

Mes amis sont de taille différente selon leur lieu de vie. Leur fourrure, à poils longs ou courts, est de couleur variée.

Le lapin hollandais, d'un caractère doux et obéissant, est très recherché comme animal de compagnie.

Le lapin bélier a de grandes oreilles qui traînent sur le sol.

Le lapin lion a une magnifique crinière, comme son modèle !

Le minuscule pika n'est pas plus gros qu'un hamster.

L'hiver, son pelage devient blanc et se confond avec le décor !

À retenir

· Les incisives du lapin continuent à pousser toute sa vie. Il est obligé de ronger des morceaux de bois pour les user !

· Lorsque les lapins sont contents, ils adorent sautiller et faire des bonds.

· La période d'activité des lapins, surtout à l'état sauvage, se situe au lever et au coucher du soleil.